Quem são Mishimas?

Victor Kinjo

autêntica

Legendas das imagens

Mishima (三島) é o nome de uma cidade próxima ao Monte Fuji, a meio caminho entre o mar e a montanha. De lá, tem-se a melhor vista do cume nevado do famoso vulcão. O primeiro nome, Yukio (由紀夫), é derivado da palavra japonesa para neve, *yuki*.

Yukio Mishima nasceu Kimitake Hiraoka, em Tóquio, em 1925. Escondendo-se do pai, que era contra suas atividades literárias, adotou o pseudônimo aos 16 anos, quando publicou seu livro de estreia *Hanazakari no mori* (A floresta em pleno esplendor).

Ele foi, antes de mais nada, um grande e incansável escritor. Indicado por três vezes ao Prêmio Nobel de Literatura, suas obras completas somam 36 espessos volumes, entre romances, contos, peças de teatro, críticas, traduções e artigos políticos e filosóficos.

Chegou ao Rio de Janeiro na madrugada de 27 de janeiro de 1952. E, quando estava para aterrissar, atraído e comovido pelas luzes ao longo da costa, que lhe evocaram a imagem de um colar depositado numa mesa de mármore negro, ele bradou o nome do Rio e teve a sensação de que não se importaria se caísse na escuridão em meio às luzes.

"O êxtase do Carnaval não tem valor algum aos olhos dos que desejam apenas contemplar. Quero confessar francamente que eu me extasiei." *Yukio Mishima*

Desde que voltou de sua primeira viagem à Grécia em 1952, Mishima passou a se exercitar fisicamente. Primeiro a natação, depois o boxe. Mas foi na musculação que se encontrou e construiu o corpo atlético pelo qual ficaria famoso.

Mishima foi um mestre da arte da *performance*, reiterando ou parodiando as regras de gênero, sexualidade e nação em sua obra literária, mas também em suas excêntricas aparições públicas como autor, dramaturgo, ator, modelo fotográfico, halterofilista, lutador de kendô e guerreiro.

Mishima revela que a impressão carnal violenta da juventude, presente em São Sebastião, fundiu-se gradualmente com seu ideal de beleza e culto ao corpo.

Assim, quando, no dia 25 de novembro de 1970, Mishima colocou em cena um corpo nipônico, cultivado pelos ideais de uma masculinidade patriótica, vestido num uniforme militar, sendo cortado por um sabre samurai, seguido de um suposto amante, vinte anos mais jovem, uma *performance* hiperpatriótica, porém "transviada" (*queer*), acontecia.

Uma semana antes de cortar o próprio abdômen e ter a cabeça decepada em seu ritual de *seppuku* (o "suicídio samurai", popularmente conhecido como "haraquiri") no Quartel General de Ichigaya, Yukio Mishima organizou uma grande exposição sobre sua vida-obra numa loja de departamento em Tóquio. A *Exposição Yukio Mishima* tinha fotos de sua infância, com familiares e amigos, no prestigiado colégio Gakushuin, recebendo um relógio de prata do imperador como melhor aluno da turma.

Tinha também redações da infância, cartões enviados aos pais durante a guerra, quando estudava direito na Universidade Imperial de Tóquio. As primeiras publicações de contos em revistas literárias e romances, as obras completas em várias edições, incluindo traduções para diversas línguas. Não faltaram fotos de viagens, no convés do navio *President Wilson* – que o levou às Américas pela primeira vez –, imagens de sua passagem pela Europa, pela Índia e pelo Camboja. Encontros com atrizes, atores, compositores e escritores, incluindo Yasunari Kawabata, que o apadrinhou. Imagens de encenações de suas peças. Mishima praticando kendô, debatendo com estudantes de esquerda na Universidade de Tóquio. Vestido como militar do Tatenokai (Sociedade do Escudo), seu exército particular formado por estudantes de direita.[1] Em 25 de novembro de 1970, quatro deles participaram de sua derradeira *performance*. Entre eles, Masakatsu Morita, de 25 anos, supostamente seu amante, que se suicidou logo após o seu mentor.

Na introdução do catálogo da referida exposição, Mishima declarou:

> Dividi minha existência de 45 anos, repleta de contradições, em quatro correntes, os rios do Livro, do Teatro, do Corpo e da Ação, e os estruturei de modo a desaguarem no *Mar da fertilidade*.[2]

Mar da fertilidade é o título de sua tetralogia final, composta pelos livros *Neve de primavera* (1969), *Cavalos selvagens* (1969), *O templo da aurora* (1970) e *A queda do anjo* (1970). As últimas linhas desse último livro, o escritor escreveu no seu último dia de vida, enviando-as a seu editor antes de convocar jornalistas a comparecerem na sede da Jietai (As Forças de Autodefesa do Japão). Foi lá que, após dominar o general Mashita com uma espada samurai, exigiu fazer um discurso aos soldados. Mishima protestava contra o Artigo 9 da Constituição Japonesa – escrita após a Segunda Guerra Mundial sob ocupação norte-americana –, que proibia o país de manter um exército. O escritor convocou as tropas a se rebelarem contra a hipocrisia no Japão e, não sendo escutado, imolou-se saudando o imperador.

Deixou a esposa Yoko e duas crianças.

Rio do Livro

"Este rio, com a benção das águas, ajuda no cultivo da minha gleba de terra, sustenta a minha vida, por vezes provoca enchentes e quase me afoga. Este é um rio que, juntamente com a passagem do tempo, requer uma paciência infinita e um labor diário. O quanto o ato de escrever e a lavoura se assemelham. A tempestade e a geada não perdoam um segundo sequer a negligência do espírito, que vigia o campo sem cessar e, ao cabo do cultivo ilimitado de poesia e sonho, não dá para ele próprio prever o quão fértil será a colheita. O livro escrito afasta-se de mim, ele já não mais será um alimento para meu espírito, só podendo transformar-se em chicote no futuro. Se eu tivesse acumulado na memória, quantas noites severas, quantas horas desesperançadas foram despendidas nesses livros, certamente enlouqueceria. Entretanto, eu não tenho outra escolha senão continuar escrevendo, hoje de novo a linha seguinte e a linha seguinte..."[3]

Origens

Yukio Mishima nasceu Kimitake Hiraoka, capricorniano de 14 de janeiro de 1925, em Tóquio. Escondendo-se do pai, que era contra suas atividades literárias, adotou o pseudônimo aos 16 anos, quando publicou seu livro debutante *Hanazakari no mori* (A floresta em pleno esplendor), ainda sem tradução para o português. A sugestão foi de Fumio Shimizu, professor do jovem escritor no Gakushuin, o colégio de elite em que estudou, o mesmo onde foram educados Hirohito, o imperador do Japão de 1926 a 1989, seu filho Akihito, que abdicou em 2019, e a artista Yoko Ono.

Mishima (三島) é o nome de uma cidade próxima ao Monte Fuji, a meio caminho entre o mar e a montanha. De lá, tem-se a melhor vista do cume nevado do famoso vulcão. O primeiro nome, Yukio (由紀夫), é derivado da palavra japonesa para neve, *yuki*.[4]

Ele foi, antes de mais nada, um grande e incansável escritor. Indicado por três vezes ao Prêmio Nobel de Literatura, suas obras completas somam 36 espessos volumes, entre romances, contos, peças de teatro, críticas, traduções e artigos políticos e filosóficos.

Em 1949, enquanto o Japão tentava se levantar da derrota na guerra, o promissor escritor, aos 24 anos, publica *Confissões de uma máscara*. Narrada em primeira pessoa, a obra conta a descoberta dos desejos homoeróticos de um pré-adolescente angustiado num universo de desejo, medo, segredo, guerra e morte. Tomado por muitos biógrafos como pura e simples autobiografia, Mishima dizia que era "uma autobiografia ficcional", já indicando as fronteiras porosas e ilusórias entre sua vida e sua obra.

Mishima foi um mestre da arte da *performance*, reiterando ou parodiando as regras de gênero, sexualidade e nação em sua obra literária, mas também em suas excêntricas aparições públicas como autor, dramaturgo, ator, modelo fotográfico, halterofilista, lutador de kendô e guerreiro.

Magro e de saúde frágil durante a infância e a juventude, o escritor não chegou a ir à guerra, dispensado após simular uma doença crônica. Mas, em *Confissões de uma máscara*, revela o pesar, a tristeza de não ter morrido jovem e heroicamente no campo de batalha.

Em contraste com a tensão de *Confissões de uma máscara* e *Cores proibidas,* outra obra sobre o desejo homoerótico publicada em 1953, Mishima tem romances felizes que retratam uma heterossexualidade idílica. *Mar inquieto* (1954), por exemplo, conta a história de um rapaz, filho de uma pobre viúva, e uma moça, filha de um abastado tripulante de navio. O romance se passa numa ilha japonesa com poucos recursos além da pesca, para homens, e do mergulho em busca de abalones – molusco que produz pérolas – para mulheres. Esse amor juvenil enfrenta a fúria do pai, que a prometera para um homem rico. Numa das cenas mais famosas do livro, os jovens conhecem a nudez um do outro em volta de uma fogueira. Beijam-se, mas decidem, seguindo a tradição, esperar a noite de núpcias.

Mar inquieto tornou-se um imediato *bestseller*, batendo os recordes do mercado literário do pós-guerra e vendendo mais de cem mil exemplares em pouco tempo. Meses depois do lançamento, a Toho Studios alugou uma ilha inteira e, em três semanas, produziu um filme baseado no romance. Naquele ano, Mishima venceria o prêmio Shinchosha de literatura.

Yukio no Brasil

Mishima é um dos escritores japoneses mais traduzidos no mundo, mas sua relação com o Brasil vai além de suas publicações. Ele permaneceu por aqui durante quase um mês, entre São Paulo e o Rio de Janeiro, onde passou animadamente um Carnaval. Escreveu, inclusive, duas peças inspiradas em sua experiência no país: *Toca de cupins*, sobre uma família nipo-brasileira numa fazenda de café, e *Bom dia, Senhora*, uma opereta de estilo *commedia dell'arte* sobre o Carnaval do Rio.

Ele narra em suas *Notas de viagem à América do Sul*, lançadas em outubro de 1952 em *O cálice de Apolo* (ainda sem tradução para o português), que o avião *Constellation* chegou ao Rio de Janeiro, vindo de San Juan de Porto Rico, na madrugada de 27 de janeiro de 1952. E, quando estava para aterrissar, atraído e comovido pelas luzes ao longo da costa, que lhe evocaram a imagem de um colar depositado numa mesa de mármore negro, ele bradou o nome do Rio e teve a sensação de que não se importaria se caísse na escuridão em meio às luzes.[5]

Conta ainda que teve uma epifania ao deixar a Praça Paris e caminhar por um bairro residencial antigo, de ruas arborizadas, banhadas pelo sol do verão, porém, sem sombra de gente:

> [...] fui assaltado por uma espécie de reminiscência dentro do sonho de que com certeza eu já vira esse lugar [...] Aquela cidade que aparece de repente dentro do sonho, misteriosa, sem habitantes, como uma cidade morta, aquela cidade complicadamente bela e extremamente silenciosa, lembro-me de tê-la visto muitas vezes nos sonhos das noites de verão na minha infância.[6]

Essa epifania o faz refletir sobre a transmigração da alma para outro corpo, tema caro a sua obra e linha condutora da tetralogia *Mar da fertilidade*.

O guia do escritor no Rio de Janeiro foi um jornalista japonês chamado Mogui, correspondente do periódico *Asahi Shimbun*. Em sua entrevista ao biógrafo John Nathan, Mogui revela que se recorda de um Mishima muito jovem e pálido, extremamente gentil, sem cerimônias com seu dinheiro, um gênio em sentir as pessoas e em se acomodar. Teve a impressão de que o jovem estava determinado a esconder sua delicadeza atrás de maneirismos robustos e se impressionava quando o escritor inclinava a cabeça para trás e ria para o céu, uma gargalhada grande brotando de um rosto frágil. Segundo o jornalista, sob o calor do verão carioca, Mishima passava a maior parte do dia dormindo no seu quarto de hotel. E, à noite, permanecia ali e trabalhava. Às vezes, enquanto caminhavam juntos pela cidade, ele de repente se desculpava e voltava para o hotel para escrever.[7]

Mas, de acordo com Mogui, a surpresa maior era a "homossexualidade descarada" de Mishima. O escritor trazia regularmente ao seu hotel, à tarde, rapazes de aproximadamente 17 anos, "os tipos que perambulam pelos parques". Como era aberto em relação a isso, o jornalista perguntou-lhe como conseguia encontrar os garotos, e Mishima explicou-lhe que "nesse mundo" havia um entendimento sem palavras. Contou a ele que se interessava pelo processo de cortejo e pela psicologia feminina, mas não pelo "ato final".

Antes de viajar ao Brasil, Mishima frequentou com assiduidade os bares gays de Tóquio, a fim de coletar material para o romance *Cores proibidas*. Mas, de acordo com Shoichi Saeki, um dos biógrafos que analisou *O cálice de Apolo*, foi no Rio de Janeiro, uma cidade estrangeira onde o temor dos outros era ínfimo, que pôde viver mais livremente sua homossexualidade. O Brasil teria sido, para Mishima, o que a Argélia foi para Andre Gide.[*,8]

Após nove dias no Rio de Janeiro, Mishima vai a São Paulo. Durante sua estada, num jantar promovido pelo jornal *São Paulo Shimbun*, encontra-se com a comunidade nipo-brasileira. Ali perguntam-lhe o que acha das mulheres brasileiras. Sinal de que não passava pela cabeça dos japoneses residentes no Brasil daquela época a possibilidade de o escritor não ser heterossexual. No dia seguinte, Mishima vai à Associação de Escritores, onde tem um encontro informal em que expõe suas ideias sobre literatura e política, além de suas impressões sobre o país:

---

[*] O escritor francês Andre Gide descreveu em sua autobiografia *Se o grão não morre*, publicada em 1924, sua descoberta da homossexualidade durante uma viagem à Argélia.

> Dentre as cidades que visitei, o Rio foi a mais bela do mundo [...] Já São Paulo é muito agitada, inquieta e, para começar, há muitos samurais.⁹

Depois, visita Lins, cidade do interior do estado, onde se hospeda na fazenda de Toshihiko Tarama, um parente do imperador. Impressiona-se com a terra vermelha, anda a cavalo e conhece o rio Tietê. Sobretudo, encanta-se com as nuvens tropicais deslizando freneticamente, como expõe no relato "Lins: as nuvens brasileiras".

Volta, então, ao Rio para o Carnaval. E declara:

> O êxtase do Carnaval não tem valor algum aos olhos dos que desejam apenas contemplar. Quero confessar francamente que eu me extasiei.¹⁰

Ele se lembra do espírito dionisíaco da tragédia grega *As bacantes*, das declarações de Goethe sobre o Carnaval de Roma e da marcha dos atores do teatro Kabuki. Sente-se atraído pelo ato grupal, daí sua fascinação com as marchinhas e os sambas carnavalescos, danças coletivas abertas à comunhão dos seres.

> Após a exaltação desses quatro dias e quatro noites, o despertar depois do prazer, não posso deixar de afirmar que não seja algo semelhante à 'morte' cantada por Rubayat.*,11

Para Yukio Mishima, prazer e morte caminham juntos.

Depois dessa intensa experiência em terras brasileiras, o escritor vai a Paris, Londres e, por fim, Atenas, onde conclui que

> [...] criar uma obra de arte e tornar-se belo em si é eticamente o mesmo.12

Beleza e martírio

Em 1956, aos 31 anos de idade, Mishima alcança o auge do sucesso com *O templo do pavilhão dourado*. O romance conta a história de um monge budista acometido pela gagueira que, atormentado pela beleza suprema do Kinkakuji (o templo dourado de Kyoto), decide incendiá-lo.

O tema da beleza e sua destruição é recorrente na obra do artista. A imagem de um abdômen

---

* Provável referência ao livro de poemas *Rubaiyat* do cientista e artista persa Omar Caiam (1048-1131), popularizado pela tradução de Edward Fitzgerald (1809-1883), publicada pela primeira vez no Ocidente em 1859.

musculoso, na plenitude de sua força, sendo rasgado por um sabre, como acontece em *Patriotismo* e em seu haraquiri verdadeiro, remete a essa relação. É também um dos motivos que o atrai na figura de São Sebastião: o corpo viril e torneado, preso numa árvore e atravessado por flechas da própria Guarda Pretoriana de Roma, à qual servia, mas cujo olhar expressava agonia, prazer e o êxtase da entrega de si por um ideal maior. A imagem do São Sebastião de Guido Reni habita também uma das cenas mais marcantes de *Confissões de uma máscara*, sendo objeto da primeira ejaculação do protagonista e de uma reflexão inspirada na ciência de Magnus Hirschfeld[*] sobre a homossexualidade.

No posfácio de sua tradução do teatro de milagre *O martírio de São Sebastião* (1911), de Gabrielle D'Annunzio, Mishima revela que a impressão carnal violenta da juventude, presente em São Sebastião, fundiu-se gradualmente com seu ideal de beleza e culto ao corpo. Sua imagem reúne o corpo ao tema do martírio, da autodestruição e da morte.

---

[*] Magnus Hirschfeld (1868-1935) foi um médico e sexólogo alemão, pioneiro no estudo da homossexualidade.

É uma ideia presente em *O Hagakure: a ética samurai e o Japão moderno*, de 1967, em que Mishima comenta o livro *O Hagakure*, de Jocho Yamamoto, um samurai do século XVIII. A obra, cuja máxima é "Descobri que o caminho do samurai é a morte", indica que o guerreiro medite todos os dias sobre a própria morte, dos modos mais variados e trágicos, a fim de não mais temê-la.

Em 1970, dois meses antes de seu haraquiri, Mishima posa, ele mesmo, como São Sebastião para o jovem fotógrafo Kishin Shinoyama, num ensaio intitulado *A morte de um homem*, que traz, também, imagens do escritor ensanguentado num acidente de trânsito e cometendo o haraquiri. É um dos intrigantes encontros de seu rio do livro, do teatro e do corpo.

Rio do Teatro

"Outrora o teatro era como uma agradável festa noturna a que eu me dirigia, após terminar o trabalho. Havia aí um outro mundo cheio de brilho, onde os personagens que eu criara, usando belos trajes, riam, se enraiveciam, se entristeciam e dançavam defronte a um lindo cenário. Enquanto dramaturgo, eu controlava tudo dos bastidores... Porém, lentamente esse prazer transformou-se em amargura. A magia, que dava às pessoas a ilusão do instante de brilho supremo da existência e que mostrava diante dos seus olhos toda a beleza deste mundo, gradualmente começou a carcomer meu coração. Todavia, a solidão do dramaturgo não passava de palavras manipuladas. O drama magnífico em que escorre o sangue falso, talvez seja uma experiência mais forte e mais profunda do que as da vida e possivelmente comova e enriqueça as pessoas. A beleza da estrutura lógica e abstrata do texto teatral, que se assemelha à música e à arquitetura, não cessa de ser de fato modelo do 'ideal artístico', que tenho nas profundezas do meu espírito."[13]

Homem de teatro e de cinema

Foram provavelmente as avós de Mishima que despertaram nele a paixão pelo teatro. A avó paterna, que o criou fechado em seu quarto, servindo às suas necessidades, levou-o ao teatro Kabuki pela primeira vez quando ele tinha 12 anos. Na mesma época, a avó materna, oriunda de uma família de intelectuais de Kanazawa e praticante do canto tradicional, levou-o ao teatro Nô. Dois anos depois, em 1939, ainda adolescente, Mishima escreveu e publicou na revista do Gakushuin sua primeira peça: *Os magos do Oriente,* inspirada no segundo capítulo do Novo Testamento, *O Evangelho segundo São Mateus.* É uma das poucas obras assinadas ainda com seu nome de batismo.

Quase uma década depois, Mishima veria uma peça sua encenada. O título da obra era *Casa em chamas*, e, ainda que o autor fosse frequentador dos teatros Nô, Kabuki e Bunraku, sua estética é a do teatro moderno ocidental (*shingeki*). Com personagens egoístas e monstruosos, *Casa em chamas* retratou de modo ácido a decadência da burguesia japonesa do pós-guerra. Ironicamente, foi publicada como texto na revista *Ninguen* [*Ser humano*], famosa por sua orientação nacionalista de direita, e montada no palco pela Companhia Haiyû-za, de esquerda, reconhecida como sucessora do teatro proletário no pós-guerra. Durante a temporada de *Casa em chamas* no Mainichi Hall, em Tóquio, Mishima compareceu ao teatro em todas as apresentações.[14]

Temos no Brasil uma obra robusta sobre a trajetória teatral e cinematográfica do artista, intitulada *Yukio Mishima: homem de teatro e de cinema* (2006), de Darci Kusano. Nesse livro, a pesquisadora traduz trechos e comenta grande parte das dezenas de peças do autor, dos dramas de guerra às tragicomédias, suas passagens pela Companhia Bungaku-za (1956-1963), a formação e ruptura com a Companhia NLT, seu teatro político, experimental, seus textos de Nô e Kabuki, a influência dos musicais norte-americanos, da ópera e da dramaturgia tradicional japonesa.

Entre seus textos de teatro mais famosos estão as *Cinco peças de Nô moderno*, nas quais Mishima retira os temas do Nô clássico inserindo-os no contexto contemporâneo por meio do drama poético moderno. As cinco peças, traduzidas por Donald Keene para o inglês e publicadas em 1957 são: *Hanjo, Dama Aoi, Kantan, Madame de Sade* e *Sotoba Komachi*. Esta última ganhou, inclusive, uma tradução de Clarice Lispector para o português, ainda não editada.

Para promover o lançamento dessa compilação nos Estados Unidos, Mishima viajou a Nova York, onde passou alguns meses aguardando a montagem de uma de suas peças, o que, por fim, não aconteceu. De volta ao Japão, começou a procurar uma noiva.

Seus pais ouviram rumores sobre sua homossexualidade e o pressionavam para que casasse. Assim, anunciaram no grupo de ex-alunos do Gakushuin que procuravam por candidatas. O casamento arranjado era uma prática comum na sociedade japonesa. A família recebeu diversas candidaturas, mas Mishima buscava uma esposa que seguisse regras bastante específicas. Um amigo da família o apresentou então a Yoko Suguiyama, uma jovem de dezenove anos, filha de um pintor. Mishima a fez prometer que não interferiria em sua "privacidade" e em seu trabalho. Casaram-se em maio de 1958.

Rio do Corpo

"Este foi um rio novo, que abriu o seu curso d'água a meio caminho da minha existência. Eu estava insatisfeito com o fato de que o espírito, invisível aos olhos, continuasse a criar uma beleza visível. Por que eu também não posso me transformar em algo visível aos olhos? Mas para tal, a condição necessária é o corpo. Por fim, quando o adquiri, como uma criança que ganhasse um brinquedo, orgulhoso, o exibi a todos e desejei ardentemente movimentá-lo na frente dos outros. O meu corpo era, por assim dizer, o meu carro. Este rio me convidou para vários passeios com meu carro e as paisagens que me eram desconhecidas até então, enriqueceram minhas experiências. Mas o corpo, assim como a máquina, tem o destino de se arruinar. Eu não admito este destino. Isto equivale a não aceitar a natureza, e o meu corpo está a caminhar na estrada mais perigosa."[15]

Carne e coragem

Desde que voltou de sua primeira viagem à Grécia em 1952, Mishima passou a se exercitar fisicamente. Primeiro a natação, depois o boxe. Mas foi na musculação que se encontrou e construiu o corpo atlético pelo qual ficaria famoso. Em 1968, o atleta-escritor publica o livro *Sol e aço*, que ele mesmo chamou de "confidência crítica", um gênero entre a noite da confissão e a luz solar da crítica. Nessa obra, que no Brasil ganhou tradução e posfácio de Paulo Leminski, Mishima narra como procurou e cultivou uma "linguagem da carne" por meio do sol e do aço.

Com o sol, teve dois encontros marcantes. O primeiro, no verão da derrota na guerra.

> Um sol implacável queimava sobre a grama farta daquele verão que fica na fronteira entre o período da guerra e do pós-guerra (uma fronteira, na realidade, que não era mais que uma cerca de arame farpado, meio em ruínas, meio enterrada nos arbustos de verão, apontando para todas as direções).[16]

Era o sol da morte, que

> [...] brilhou no sangue escorrendo da carne sem parar, e no corpo prateado das moscas pululando nas feridas.[17]

Por isso, diz, adorava seu poço, seu quarto sombrio, a introspecção, a mesa com suas pilhas de livros, o pensamento noturno.

Somente no seu segundo encontro com o sol, enquanto cruzava os oceanos a bordo do navio *President Wilson* é que fez as pazes com ele.

> Daquele dia em diante, não consegui mais passar sem sua companhia. O sol se associou ao caminho central da minha vida. E, passo a passo, ele bronzeou minha pele, me marcando como membro de outra raça.[18]

Já o aço lhe proporcionou um tipo totalmente novo de conhecimento, um saber que nem os livros nem a experiência do mundo poderiam lhe dar.

> Enquanto meu corpo desenvolvia seus músculos e força, nascia lentamente em mim uma tendência para aceitar positivamente a dor e meu interesse pelo sofrimento físico se aprofundou.[19]

Isso porque assumir o sofrimento, como nos antigos rituais de iniciação, morte e ressurreição, seria o principal papel da coragem física.

No teatro e no cinema, Mishima atuou como soldado romano, escravo, líder yakuza, mensageiro de hotel, entre outros excêntricos papéis. Mas talvez o maior deles tenha sido mesmo o tenente Shinji Takeyama, protagonista do conto *Patriotismo*. Na sua adaptação cinematográfica, Mishima foi diretor, roteirista, produtor e ator principal, com as tripas de porco saindo de seu abdômen na cena do haraquiri. Anos depois, a imagem se repetiria com suas próprias tripas manchando o carpete do Quartel General de Ichigaya, a sede das Forças de Autodefesa do Japão.

No encontro de seus rios do livro e do teatro com os rios do corpo e da ação, a dramaturgia de sua morte espetacular ganharia sua própria carne.

Rio da Ação

"O rio do corpo abriu-me naturalmente o rio da ação. Num corpo de mulher isso não ocorreria. Mas o corpo de um homem, devido à sua disposição e função inatas, o conduz à força ao rio da ação, o mais terrível rio das selvas, onde há jacarés, piranhas e lanças venenosas vêm voando de aldeias inimigas. Este rio colide frontalmente com o rio do livro. Por mais que se diga 'ambas as artes, literária e militar' (*bunbu ryôdô*), sua verdadeira simultaneidade provavelmente só possa se estabelecer no momento da morte. Porém, neste rio da ação há lágrimas, suor e sangue, que o rio do livro desconhece. Há aí um contato espiritual, não mediado por palavras. E nesse caso, é o rio mais perigoso, sendo plausível que as pessoas não se aproximem dele. Este rio não possui a gentileza da irrigação para a lavoura, não traz riqueza nem paz e não concede repouso... Meramente uma vez que se é homem, não dá para resistir, de modo algum, à tentação deste rio."[20]

Dramaturgia da morte

A derradeira obra de Mishima é uma *performance* de gênero, sexualidade e nacionalismo. O conto *Patriotismo*, cuja tradução de Jefferson José Teixeira – desta vez direto do japonês – ressalta a poesia e a complexidade do escritor, é a base de sua dramaturgia.

Quando o filme inspirado no conto teve sua estreia mundial em abril de 1966, Mishima declarou que

> apesar de ser um conto de menos de cinquenta páginas, uma vez que aí estão concentrados vários elementos meus, caso uma pessoa queira ler somente uma obra minha, eu recomendaria *Patriotismo*. Assim, ela poderá compreender tanto os meus aspectos positivos como os negativos enquanto escritor.[21]

Patriotismo foi escrito no verão de 1960, inspirado no duplo suicídio verídico de um tenente e sua jovem esposa ocorrido durante o Incidente de Fevereiro de 1936. Naquela ocasião, 21 jovens oficiais do Exército Imperial tentaram realizar um golpe de Estado contra um governo que eles consideravam traidor. Mobilizaram mais de mil soldados, ocuparam um quarteirão estratégico próximo ao Palácio Imperial e assassinaram, em suas casas, três figuras importantes do governo. Eles demandavam que o supremo comando das forças armadas fosse dado ao imperador. No entanto, o próprio imperador Hirohito ordenou que aqueles que se insurgiram em seu nome fossem punidos por terem executado seus ministros. E, ainda que seus conselheiros tenham implorado para que não os tratassem como rebeldes, Hirohito insistiu, e a zona ocupada foi cercada pelas forças imperiais, prontas para o ataque.[22]

Os rebeldes declararam que cometeriam o haraquiri caso recebessem uma mensagem do imperador para que se imolassem em seu nome. Mas, como isso não ocorreu, decidiram lutar, mesmo contra as próprias forças imperiais, para deixar para o futuro sua prova de sinceridade. Na noite de 28 de fevereiro de 1936, antes de serem presos após uma breve batalha, eles se viraram em direção ao palácio do imperador e cantaram o *Kimigayô*, o hino imperial. Dois cometeram o haraquiri, os outros foram executados.[23]

Mas os heróis de *Patriotismo*, inspirados no verídico casal, não chegaram a conhecer esse desfecho. Convocado a atacar o grupo de rebeldes naquela noite, o tenente Shinji Takeyama, não tendo sido chamado por seus companheiros para a rebelião e incapaz de lutar contra eles, decide cometer o haraquiri, sendo acompanhado por sua esposa.

De acordo com o biógrafo John Nathan, o Incidente de Fevereiro de 1936 teve grande importância simbólica na concepção do patriotismo de Mishima, devoto de ideais que transcendem a racionalidade. No conto, a relação entre o desejo erótico e de morte se ressaltam. Como o próprio autor escreveu no posfácio da edição japonesa do conto,

> [...] numa rara noite como essa, o amor de um homem e de uma mulher alcançam a pureza e a intoxicação, e a morte agonizante pela própria espada torna-se o ato supremo de sinceridade do soldado e iguala-se em todo sentido à morte honrada no campo de batalha.[24]

A partir desse conto, sugere Nathan, Mishima construiria uma superfície política nacionalista, mas por baixo dela havia seu antigo desejo de morte no campo de batalha.

A estreia do curta-metragem *Patriotismo* foi realizada em outubro de 1965, em Paris, com o título *Les Rites d'amour e de mort* (*Os ritos de amor e de morte*), e, seis meses depois, em Tóquio, com o título *Yukoku* (*Patriotismo*). O filme foi rodado em preto e branco, o cenário remete ao teatro Nô, e a trilha sonora escolhida por Mishima foi *Tristão e Isolda*, de Richard Wagner. Na França e no Japão, algumas pessoas desmaiaram na cena do haraquiri. Após o suicídio verdadeiro de Mishima, em 1970, a viúva Yoko Hiraoka interditou a exibição do filme.

A relação dramatúrgica entre o conto *Patriotismo*, de 1960, sua encarnação performática no curta-metragem, em 1965, e sua realização final, em 1970, é impressionante. Segundo Darci Kusano, no processo criativo de seus romances e dramas, Mishima só começava a escrever quando determinava claramente o final. Depois, imaginava como chegar à conclusão, tendo em vista a última cena. Para a autora, Mishima planejou detalhadamente a sua morte, como os enredos de seus romances, contos e dramas.

Mas há um elemento fundamental que diferencia a concretização do ato final em relação ao conto e ao filme. Na *performance* final, Mishima não se suicida com sua esposa, mas com o jovem Masakatsu Morita.

Suicídio e sociedade

"Ficou louco", declarou o primeiro ministro japonês logo após o suicídio do escritor. "Morreu para defender o Japão", disse um político nacionalista. "Foi um duplo suicídio de amor homossexual", sugeriu um biógrafo. "Incapaz de transformar sua obra, tornou-se um grande personagem da arte por meio de uma vida interessante e últimos dias desesperados", desaprovou um crítico literário. "Ele se suicidou para completar sua obra literária", escreveu outro crítico.

As indagações sobre a morte de Mishima provocam pesquisadores, críticos e leitores até hoje. Parece um tanto impossível saber os "reais" motivos de um suicida. Ainda mais se tratando de um artista de tamanha complexidade. Numa perspectiva sociológica, no entanto, uma vez o suicídio sendo entendido como um fenômeno social que transcende a individualidade psíquica, ele pode dizer muito sobre a sociedade em que ocorre.

De algum modo, o haraquiri e o patriotismo de Mishima tocam em feridas do passado nacionalista e fascista do Império Japonês. O Japão invadiu países como Coréia, China, Taiwan e Ryukyu, e aniquilou milhares de vidas. O militarismo levou o país à tragédia da Segunda Guerra Mundial, terminando com a derrota na Batalha de Okinawa e as bombas atômicas de Hiroshima e Nagasaki. Após décadas de uma educação patriótica que imprimiu nos japoneses a ilusão da superioridade, o Japão perdia a guerra e curvava-se agora aos Estados Unidos. Como, depois de tanto sangue, voltar ao cotidiano?

Para Maurice Pinguet "durante todo o decurso dos anos cinquenta, no momento mesmo em que a economia faz sua decolagem, vários milhares de japoneses vão morrer para não ter a triste coragem de esquecer, vão sucumbir como tributo próximo que parece ainda reclamar o Minotauro defunto do sacrifício militar. [...] Eles não morreram na guerra, mas da guerra, da perturbação que ela tinha provocado na infância deles e da fratura moral infligida por ela. Mishima, tardiamente, foi um deles".[25]

O suicídio é muitas vezes visto como uma espécie de tradição japonesa. O advento dos camicases na guerra e a morte de Mishima viriam reafirmar esse imaginário. Mas seria o suicídio tão tradicional assim? O historiador Eric Hobsbawm lembra que, muitas vezes, tradições que parecem antigas são bastante recentes, quando não são completamente inventadas.[26] A apropriação moderna e seletiva de uma ética samurai como essência da nacionalidade japonesa reinventou, no processo de formação do Estado-nação, o suicídio como tradição e signo do espírito japonês.

Mishima encarnou o mito do suicida samurai, porém remeteu a uma outra esquecida tradição do Japão feudal.

Homoerotismo e a desinvenção da tradição

Em sua obra, Yukio Mishima revela diferentes discursos sobre a sexualidade que habitaram o Japão desde os tempos antigos até o pós-guerra. Em *Confissões de uma máscara* e *Cores proibidas*, escritos ainda na juventude, por exemplo, há a predominância de uma narrativa sobre a homossexualidade como doença. É uma visão que foi introduzida no Japão somente na segunda metade do século XIX, com a abertura do país ao Ocidente.

Antes disso, durante a Era Tokugawa (1603-1867), floresceram no Japão práticas homoeróticas não somente toleradas em certos extratos feudais da sociedade japonesa, como também frequentemente celebradas na cultura popular. Nesse período, nos monastérios budistas, no teatro Kabuki e, sobretudo, na iniciação e na socialização dos samurais, o chamado *nanshoku* (erotismo masculino) era prática socialmente reconhecida e retratada com frequência na pintura e literatura.[27]

Uma obra de destaque nesse campo é a compilação de contos *Nanshoku Okagami* (*O grande espelho do amor entre homens*), publicada em 1687 pelo prestigiado escritor Ihara Saikaku, ainda sem edição em português. Para Schalow,[28] que estudou e traduziu a obra para o inglês, sua leitura indica que as relações sexuais entre homens na Era Tokugawa eram aceitas como componentes da sexualidade masculina e seguiam convenções sociais estabelecidas, como a estruturação hierárquica por idade. Leupp sugere ainda que o "amor entre homens" não excluía o amor desses homens por mulheres, sendo frequentes os relatos do que hoje se chamaria de "bissexualidade".[*] Para ele, é possível que, pelo menos no caso dos homens, a bissexualidade na Era Tokugawa fosse predominante, e não marginal.

Em *Hagakure: a ética samurai e o Japão moderno*, publicado em 1967, Mishima reconhece a antiga tradição homoerótica japonesa e lembra que

> [...] mesmo quando estivermos apaixonados por um homem, devemos concentrar nossas energias no Caminho do Guerreiro. E o amor homossexual combina muito bem com esse caminho.[29]

Assim, quando, no dia 25 de novembro de 1970, Mishima colocou em cena um corpo nipônico, cultivado pelos ideais de uma masculinidade patriótica, vestido num uniforme militar,

---

[*] O termo foi utilizado por Leupp (1997) em sua análise. No entanto, como aponta Pflugfelder (1998) em resenha crítica, é problemático utilizar categorias como "homossexualidade" e "bissexualidade" como conceitos universais aplicáveis para sociedades não europeias ou anteriores ao século XIX.

sendo cortado por um sabre samurai, seguido de um suposto amante, vinte anos mais jovem, uma *performance* hiperpatriótica, porém "transviada" (*queer*), acontecia.

Em *O mito de Sísifo*, Albert Camus argumenta que existem dois caminhos frente ao absurdo da realidade: o suicídio ou tornar-se um homem absurdo. Yukio Mishima foi ambos: um homem absurdo (um artista) e um suicida. As leituras binárias e moralistas parecem sempre insuficientes. Antes disso, as belezas e contradições do texto e da carne de Mishima vêm nos confundir novamente.

Notas

[1] KUSANO, 2006.
[2] MISHIMA *apud* KUSANO, 2006, p. XXVII.
[3] MISHIMA *apud* KUSANO, 2006, p. 1.
[4] SCOTT-STOKES, 1986.
[5] KUSANO, 2006, p. 76.
[6] MISHIMA *apud* KUSANO, 2006, p. 77.
[7] NATHAN, 2000.
[8] KUSANO, 2006, p. 79.
[9] MISHIMA *apud* KUSANO, 2006, p. 81.
[10] MISHIMA *apud* KUSANO, 2006, p. 84.
[11] MISHIMA *apud* KUSANO, 2006, p. 85.
[12] NATHAN, 2000, p. 115.
[13] MISHIMA *apud* KUSANO, 2006, p. 5.
[14] KUSANO, 2006, p. 53.
[15] MISHIMA, *apud* KUSANO, 2006, p. 395.
[16] MISHIMA, 1985, p. 19.
[17] MISHIMA, 1985, p. 19.
[18] MISHIMA, 1985, p. 22.
[19] MISHIMA, 1985, p. 38.
[20] MISHIMA *apud* KUSANO, 2006, p. 529.
[21] MISHIMA *apud* KUSANO, 2006, p. 369.
[22] NATHAN, 2000.
[23] NATHAN, 2000.
[24] NATHAN, 2000, p. 179.
[25] PINGUET, 1987, p. 230.
[26] HOBSBAWN, 1984.
[27] LEUPP, 1997.
[28] SCHALOW, 1989.
[29] MISHIMA, 1987, p. 119.

Bibliografia

CAMUS, Albert. *O mito de Sísifo*. Rio de Janeiro: BestBolso, 2012.

CORNIETZ, Nina. *Ethics and Aesthetics in Japanese Cinema and Literature: polygraphic desire*. New York: Routledge, 2007.

DURKHEIM, Emile. *O suicídio*. São Paulo: Abril, 1973. Coleção Os Pensadores (33).

HOBSBAWN, Eric. *A invenção das tradições*. Rio de Janeiro: Paz e Terra, 1984.

KUSANO, Darci. *Mishima: o homem de teatro e de cinema*. São Paulo: Perspectiva; Fundação Japão, 2006.

LEUPP, Gary. *Male Colors: The Construction of Homosexuality in Tokugawa Japan*. Berkeley: University of California, 1997.

MISHIMA, Yukio. *Confissões de uma máscara*. Tradução de Jaqueline Nabeta. São Paulo: Companhia das Letras, 2004.

MISHIMA, Yukio. *Cores proibidas*. Tradução de Jefferson José Teixeira. São Paulo: Companhia das Letras, 2002.

MISHIMA, Yukio. *Mar inquieto*. Tradução de Leiko Gotoda. São Paulo: Companhia das Letras, 2002.

MISHIMA, Yukio. *Morte em pleno verão e outras histórias*. Tradução de Aulyde Soares Rodrigues. Rio de Janeiro: Rocco, 1987.

MISHIMA, Yukio. *Neve de primavera: mar da fertilidade*. v. I. Tradução de Newton Goldman. São Paulo: Brasiliense, 1987.

MISHIMA, Yukio. *O Hagakure: a ética dos samurais e o Japão moderno*. Tradução de Waltensir Dutra. Rio de Janeiro: Rocco, 1987.

MISHIMA, Yukio. *O Pavilhão Dourado*. Tradução de Shintaro Hayashi. São Paulo: Cia. das Letras, 2010.

MISHIMA, Yukio. *Sol e aço*. Tradução de Paulo Leminski. São Paulo: Editora Brasiliense, 1985.

NATHAN, John. *Mishima: A Biography*. Boston: Little Brown, 2000.

PFLUGFELDER, Gregory. *Review of Male Colors: the construction of homosexuality in Tokugawa Japan. Monumenta Nipponica*, v. 53, n. 3, 1998.

PINGUET, Maurice. *A morte voluntária no Japão*. Tradução de Regina Abujamra Machado. Rio de Janeiro: Rocco, 1987.

SCHALOW, Paul. Male love in early modern Japan: a literary depiction of the "youth". In: DUBERMAN, M.;VICINUS, M.; CHAUNCEY, G. *Hidden from history: Reclaiming gay and lesbian past*. New York: New American Library, 1989.

SCOTT-STOKES, H. *A vida e a morte de Mishima*. Tradução de Milton Persson. São Paulo: L&PM, 1986.

CRÉDITOS DAS IMAGENS

Pág. 4/5 | Deng Nanguang/Wikimedia Commons
Pág. 6/7 | Bettmann/Gettyimages
Pág. 8/9 | Mondadori Portfolio/Gettyimages
Pág. 10/11 | Mondadori Portfolio/Gettyimages
Pág. 12/13 | Michael Ochs Archives/Gettyimages
Pág. 14 | Susana.estradama/Wikimedia Commons
Pág. 17 | Autor desconhecido
Pág. 18/19 | Toru Yamanaka/Gettyimages
Pág 20/21 | Bettmann/Gettyimages

Copyright © 2020 Autêntica Editora

Todos os direitos reservados pela Autêntica Editora LTDA. Nenhuma parte desta publicação poderá ser reproduzida, seja por meios mecânicos, eletrônicos, seja via cópia xerográfica, sem a autorização prévia da Editora.

EDITORA RESPONSÁVEL
Maria Amélia Mello

EDITORA ASSISTENTE
Rafaela Lamas

REVISÃO
Cecília Martins
Darci Kusano

PROJETO GRÁFICO
Diogo Droschi

DIAGRAMAÇÃO
Waldênia Alvarenga

Dados Internacionais de Catalogação na Publicação (CIP)
(Câmara Brasileira do Livro, SP, Brasil)

Kinjo, Victor
  Quem são Mishimas? / Victor Kinjo. – 1. ed. – Belo Horizonte : Autêntica, 2020.

  ISBN: 978-85-513-0844-8

  1. Escritores japoneses - Biografia 2. Ensaios 3. Mishima, Yukio, 1925-1970 I. Título.

20-33089　　　　　　　　　　　　　　　　　　　　　　　CDD-809

Índices para catálogo sistemático:
1. Ensaios : Literatura : História e crítica 809

Cibele Maria Dias - Bibliotecária - CRB-8/9427

Apoio:

Belo Horizonte
Rua Carlos Turner, 420
Silveira . 31140-520
Belo Horizonte . MG
Tel.: (55 31) 3465 4500

São Paulo
Av. Paulista, 2.073, Conjunto Nacional
Horsa I, 23º andar . Conj. 2310-2312
Cerqueira César . 01311-940 São Paulo . SP
Tel.: (55 11) 3034 4468

www.grupoautentica.com.br

Este livro foi composto com tipografia Adobe Garamond Pro e
impresso em papel Off-White 90g/m² na Formato Artes Gráficas.